꼬마 탐정 퀴카, 코코

Little Detective Quokka, Coco

하은총 지음

꼬마 탐정 쿼카, 코코

발 행 | 2024년 02월 13일
저 자 | 하은총
펴낸이 | 한건희
펴낸곳 | 주식회사 부크크
출판사등록 | 2014.07.15(제2014-16호)
주 소 | 서울특별시 금천구 가산디지털1로 119 SK트윈타워 A동 305호
전 화 | 1670-8316
이메일 | info@bookk.co.kr

ISBN | 979-11-410-7149-3

www.bookk.co.kr

꼬마 탐정 쿼카, 코코

하은총 지음

CONTENT

독자 여러분, 호기심과 용기, 그리고 미스터리의 한가운데로 떠나는 코코의 여정을 담은 "꼬마 탐정 쿼카, 코코"의 매력적인 세계에 오신 것을 환영합니다. 책장을 넘기다 보면 눈빛이 밝고 마음이 따뜻한 탐정 코코와 함께 기묘한 마을에 얽힌 수수께끼를 풀기 위한 여정에 동참하게 됩니다.

이 책에서 우리는 코코가 큰 기대를 품고 텅 빈 사무실에서 시작하는 이야기를 따라갑니다. 코코의 여정은 단순히 수수께끼를 푸는 것이 아니라 내면의 힘과 끈기의 힘을 발견하는 과정입니다. 코코는 도전에 직면하고 의심을 극복하면서 탐정이 된다는 것은 단순히 단서를 쫓는 것만이 아니라 주변 사람들에게 기쁨과 해결책을 가져다주는 일이라는 것을 깨닫게 됩니다.

각 에피소드를 통해 코코는 탐정으로서뿐만 아니라 지역 사회의 사랑받는 일원으로도 성장해 나갑니다. 코코의 모험은 흥미로운 캐릭터, 예상치 못한 반전, 친절과 용기에 대한 교훈으로 가득합니다.

작은 사무소의 탐정 코코가 큰 변화를 가져오는 코코의 세계로 여러분을 초대합니다. 우리 모두가 위대한 일을 해낼 수 있다는 것을 보여 주는 코코의 이야기에서 많은 위로와 영감을 얻으시기 바랍니다.
'

제1화 코코의 첫 번째 사건

맑은 눈과 꿈이 가득한 마음을 지닌 코코는 마을의 아늑한 구석에 탐정 사무소를 차립니다. 코코의 작은 사무실은 "코코의 탐정 사무소"라고 적힌 손수 만든 간판으로 장식되어 있습니다. 코코는 자신의 이름이 널리 알려진 거대한 미스터리를 해결하는 모습을 상상합니다. 코코는 탐정 모자와 메모장을 정리하면서 앞으로 발생한 일에 대해 설렘을 느끼지 않을 수 없습니다.

코코의 탐정 사무소에서의 첫날은 코코가 기대했던 것보다 조용했습니다. 코코는 탐정 도구로 둘러싸인 책상 뒤에 열심히 앉아 누군가가 탐정사무실을 방분하기를 기다리고 있습니다. 코코는 연필을 정리하고, 메모장을 곧게 펴고, 고객을 만나기를 바라며 창밖을 내다봅니다. 시계는 천천히 똑딱거리며 느린 시간을 알려줍니다. 기운을 북돋우기 위해 코코는 자신이 좋아하는 탐정 소설을 읽으며 자신이 유명한 탐정의 입장이 되어 있다고 상상을 하며 시간을 보내고 있습니다.

손님 한 명 없이 하루가 흘러가자 코코는 탐정이 되겠다는 자신의 꿈이 그저 어리석은 생각이었는지 생각합니다. 그러나 코코는 포기하지 않고 고개를 저었고, 어려움에 직면하면서도 희망을 잃지 않은 형사들의 모든 이야기를 기억합니다. 새로운 결심으로 코코는 탐정 기술을 연습하며 첫 번째 사건 발생 전에 미리 마음의 준비를 해야겠다고 다짐을 합니다. 코코는 모든 위대한 탐정은 인내심에서 시작하며 이야기는 이제 막 시작되었다고 스스로에게 말하며 견딥니다.

해가 지기 시작하자 작고 소심한 고양이 위스커스가 수줍게 탐정사무소 안으로 들어옵니다. 첫 고객을 맞이하는 코코의 눈은 설렘과 따뜻함으로 초롱초롱 빛났습니다.

위스커스는 불안한 표정과 걱정에 가득찬 눈으로 주위를 둘러봅니다. 코코는 위스커스에게 찾아온 이유가 무엇인지 듣고 싶어 자리에 앉으라고 권유합니다. 위스커스는 머뭇거리다가 자신의 이야기를 하기 시작하고, 코코는 주의 깊게 귀를 기울이고, 코코 앞에 첫 번째 사건이 펼쳐집니다.

위스커스는 어머니가 주신 소중한 선물인 장난감 쥐를 잃어버렸다고 말하며, 그것을 찾기 위해 여기저기 찾아보았지만 소용이 없었다고 설명합니다. 코코는 위스커스에게 꼭 잃어버린 장난감을 찾는 데 도움을 주겠다고 약속합니다.

코코는 위스커스에게 마지막으로 가지고 놀았던 장소와 이미 찾아 보았던 장소에 대해 자세히 질문하며 여러가지 단서들을 메모합니다. 위스커스의 마음은 잃어버린 장난감을 찾을 가능성에 부푼 마음으로 소용돌이치고 있습니다.

코코는 위스커스의 집을 방문하면서 조사를 시작합니다. 코코는 방을 조사하여 단서를 찾은 다음 검색 범위를 주변 지역으로 확장합니다. 코코는 이웃에 있는 다른 동물들과 인터뷰하며 사라진 장난감을 본 적이 있는지 묻습니다. 코코는 눈이 날카롭고 감각이 예민하여 어떤 징후나 흔적이라도 찾습니다. 그 과정에서 코코는 실 한 가닥, 발자국, 깃털과 같은 작은 단서를 수집합니다. 직감에 따라 코코는 위스커스의 집에서 지역 공원으로 이어지는 희미한 실의 흔적을 발견합니다. 코코는 탐정 본능이 발동하여 흔적을 따라갑니다. 실은 작은 다리를 건너 분주한 공원으로 이어집니다. 코코는 실의 흔적을 바라보며 결단력 있게 공원을 탐색합니다. 코코는 장난기 많은 강아지들을 피하고, 피크닉 담요 위로 뛰어다니고, 프리스비 게임을 능숙하게 피하는 동시에 실의 흔적에만 집중합니다.

공원은 아름다운 하루를 즐기는 동물들의 소리와 풍경으로 생생합니다. 코코는 다양한 공원 명소를 통해 실의 흔적을 따라 높고 낮은 곳을 검색합니다. 코코는 더 나은 경치를 보기 위해 정글짐에 올라가고, 조심스럽게 연못 주변을 둘러보고, 심지어 미끄럼틀 꼭대기까지 용감하게 올라갑니다. 코코는 행진하는 개미 떼와 코코의 일거수일투족에 대해 질문하는 다람쥐를 만나는 어려움에 직면합니다. 이러한 장애물에도 불구하고 코코는 집중력과 민첩성을 유지하며 탐정 정신을 유지합니다.

코코는 결국 나무 위의 까치를 발견하였습니다! 까치는 장난감 쥐처럼 생긴 것을 가지고 장난스럽게 놀고 있습니다. 코코는 멀리서 까치를 지켜보며 다음 행동을 계획합니다. 까치는 장난감에 매료되어 던지고 공중으로 움켜쥐고 있습니다. 코코는 까치를 겁주지 않고 장난감을 되찾으려면 자신이 영리해야 한다는 것을 알고 있습니다. 코코는 까치에게서 장난감을 되찾기 위해 영리한 계획을 세웁니다. 코코는 공원을 수색하다가 까치의 관심을 끌기 위해 반짝이는 물건을 찾습니다. 반짝이는 돌 몇 개와 금속 병 뚜껑을 모은 코코는 계획을 실행에 옮깁니다.

코코는 까치를 유인하기 위해 나무에서 멀어지는 길에 반짝이는 물건들을 배열합니다. 코코는 까치의 호기심이 자극되는 모습을 숨죽여 지켜보며 근처에 숨어 있습니다. 반짝이는 흔적에 흥미를 느낀 까치는 물건을 조사하기 위해 날아갑니다. 순간을 포착한 코코는 빠르게 나무 위로 올라가 장난감 쥐를 조심스럽게 꺼냅니다. 코코는 까치를 놀라게 하지 않도록 조심하며 조용하고 우아하게 움직입니다. 장난감을 주머니에 안전하게 넣은 코코는 아래로 내려가 장난감을 성공적으로 되찾아옵니다.

코코는 독창성과 인내심으로 첫 번째 사건을 해결한 후 흥분과 자부심이 솟아오르는 것을 느낍니다. 코코는 장난감 쥐를 가지고 위스커스에게 돌아옵니다. 자신이 사랑하는 장난감을 본 위스커스의 얼굴은 기쁨과 안도감으로 빛납니다. 위스커스는 코코에게 진심으로 감사를 표했습니다. 코코는 따뜻한 성취감을 느끼고 첫 고객에게 기쁨을 안겨준 것을 기쁘게 생각했습니다. 위스커스는 장난감을 꺼안고 행복하게 뛰어다니고, 코코는 자신이 사건을 해결했다는 것에 미소를 지었습니다.

탐정 코코가 휘스커스의 잃어버린 장난감을 찾았다는 이야기는 동네 곳곳으로 퍼지게 됩니다. 솜씨있게 문제를 해결한 영리한 쿼카 탐정에 대해 다른 동물들도 이야기하기 시작합니다. 코코는 마을을 걷는 동안 속삭이는 소리를 듣고 손을 가리키는 발을 봅니다. 코코는 탐정이라는 꿈이 현실이 되기 시작했다는 사실에 자부심과 설렘이 뒤섞인 감정을 느낍니다. 코코는 희망과 만족감을 느끼며 그날 밤 사무실을 닫습니다. 코코는 자신이 풀게 될 모든 미스터리를 상상하며 자신을 기다리는 모험을 기대합니다. 문을 잠그면서 코코는 위스커스에 대해 생각하고 자신이 얼마나 행복해 보였는지 생각합니다. 코코는 탐정으로서의 여정이 이제 막 시작되었으며 더 많은 흥미로운 사건이 곧 펼쳐질 것임을 알고 있습니다. 희망 가득한 마음으로 코코는 내일 어떤 일이 닥칠지 대비하고 집으로 향합니다.

제2화 수상한 축제

조용한 탐정 사무소에 앉아 있던 코코는 실망감이 밀려왔습니다. 첫 번째 사건 이후 탐정 사무소에는 손님이 없었고, 코코는 새로운 미스터리 사건을 갈망했습니다. 코코는 영감을 얻기 위해 웃음과 즐거움이 가득한 활기 넘치는 지역 축제를 방문하기로 결정했고, 이곳이 새로운 사건을 찾기에 좋은 장소가 아닐까 생각했습니다. 코코가 축제에 도착하자 북적거리는 군중, 화려한 장식, 줄지어 늘어선 매혹적인 가판대를 보며 기분이 좋아졌습니다.

그러나 기쁨 속에서 코코는 뭔가 이상한 점을 발견했습니다. 축제장을 돌아다니던 중 코코는 축제 참가자들 사이에서 잃어버린 물건에 대한 대화를 우연히 듣게 되었습니다. 흥미를 느낀 코코는 동물들에게 질문하며 잃어버린 물건 목록을 작성하기 시작했습니다. 코코는 물건들이 사라진 패턴을 추론하고 더욱 철저한 조사에 착수했습니다. 사라진 물건들은 모두 작고 반짝이는 물건이었습니다. 코코는 도둑을 잡을 수 있는 단서를 찾기 위해 물건이 사라진 각 장소에서 단서를 찾았습니다.

단서를 찾던 중, 두 가지 흥미로운 단서가 발견되었습니다. 한 장소에는 독특한 깃털이 남아 있었고 다른 장소에는 작고 뚜렷한 발자국이 있었습니다. 코코는 그 단서를 이 사건과 연관 지어 보기로 결심했습니다.

달빛이 비치는 하늘 아래, 코코는 교묘한 함정을 설치했습니다. 코코는 반짝이는 장신구를 미끼로 사용하고 근처에 숨어 범인이 다시 올 때까지 관찰했습니다.

한참을 기다리던 그 때, 덜커덕! 트랩이 완벽하게 작동했습니다. 반짝이는 물체에 이끌려 장난꾸러기 너구리가 적발되었습니다. 코코가 숨어 있던 곳에서 나와 붙잡았습니다. 죄책감을 느낀 너구리는 도둑질을 자백했습니다.

코코는 단호하게 훔친 물건을 원래 주인에게 돌려주자고 하였고, 코코와 너구리는 함께 물건을 주인에게 돌려주었습니다. 축제에 참석한 사람들은 너무나 기뻐하고 감사했으며, 축제 분위기가 다시 살아났습니다. 탐정으로서 코코의 명성은 물건을 돌려받을 때마다 커졌습니다. 코코의 사건 성공 소식은 마을 전체에 빠르게 퍼졌습니다. 동물들은 코코를 그저 일반 사무직원이 아니라 유능하고 영리한 탐정으로 보기 시작했습니다. 코코는 의심할 여지 없이 자신의 실력을 입증했습니다.

다음날 코코는 소속사 밖에 동물들이 줄지어 늘어선 것을 보고 깜짝 놀랐습니다. 동물들은 코코에게 의뢰할 작은 사건들을 가지고 방문했습니다. 코코는 드디어 탐정 사무실이 인정받았다는 설렘을 느꼈습니다.

한때 조용하고 눈에 띄지 않았던 코코의 탐정 사무소는 활기 넘치는 활동의 중심지로 변했습니다. 이곳은 코코에 대한 신뢰성과 사건을 바라보는 독특한 관점으로 알려져 마을의 사랑받는 탐정 사무소가 되었습니다.

제3화 미스터리 사건 발생!

이제 마을에서 인정받는 탐정인 코코는 동네를 떠도는 신비한 사건에 대한 소문을 듣습니다. 흥미를 느낀 코코는 늘어나는 탐정 능력을 발휘하고 싶어 조사를 하기로 결정합니다. 첫 번째 사건은 매일 밤 들리는 신비한 소음과 관련이 있습니다. 코코는 초기 단서를 수집하기 위해 고풍스러운 정원인 현장을 방문합니다. 코코는 겁에 질려있는 정원 주인을 인터뷰합니다. 정원주인은 매일 밤 어김없이 소음이 갑자기 시작되어 발생한다고 설명합니다.

수수께끼를 풀기로 결심한 코코는 정원에서 야영을 합니다. 코코는 쌍안경과 손전등을 들고 작은 텐트 안에서 범인을 기다립니다. 이상한 소리나 움직임이 있는지 확인하려고 코코의 감각이 예민해집니다.

늦은 밤, 코코는 마침내 이상한 소리를 듣게 됩니다. 일련의 부드러운 휘파람 소리와 바스락거리는 소리가 들리는데, 마치 근처 수풀에서 나는 것 같습니다. 용감하게 코코는 덤불로 다가갑니다.

갑자기 미스터리한 범인이 튀어나왔고, 코코는 소음의 원인을 밝히기 위해 추격전을 벌입니다. 짧은 추격 끝에 코코가 범인을 따라잡습니다. 놀랍게도 그 인물은 정원에서 길을 잃은 작고 겁에 질린 고슴도치였습니다. 고슴도치는 큰 소리를 내며 달리고 있었습니다.

코코는 고슴도치가 가족을 찾고 있다는 사실을 알게 됩니다. 신비한 소음은 의사소통을 하고 집으로 가는 길을 찾으려는 고슴도치의 시도였습니다. 고슴도치가 가족과 재회할 수 있도록 돕기로 결심합니다. 코코는 정원 주인과 일부 동물들의 도움을 받아 소규모 수색대를 계획합니다. 수색대는 단서를 찾아 고슴도치의 기억을 찾아 숲 속으로 모험을 떠나고, 코코는 탐정 능력을 활용하여 자신있게 길을 찾습니다. 오랜 수색 끝에 그들은 고슴도치의 가족을 찾습니다. 고슴도치와 그 가족들의 고마운 마음과 함께 가슴 훈훈한 재회를 하게 되었습니다.

마을은 성공적인 임무를 축하했습니다. 단순한 탐정이 아닌 마음씨 착한 영웅으로서의 코코의 명성은 점점 커집니다. 코코는 깊은 만족감과 성취감을 느낍니다. 사건을 풀면서 지역사회가 하나로 모였고 도움이 필요한 고슴도치 가족을 도왔습니다. 코코는 탐정사무소로 돌아와 사건에 대한 사건 파일을 닫으면서 새로운 모험이나 미스터리를 받아들일 준비를 합니다.

제4화 범인을 잡아라!

마을에서 대규모 도난 사건이 발생했고, 코코는 조사를 주도해 달라는 요청을 받습니다. 마을 사람들은 코코의 탐정 기술과 결단력을 신뢰합니다. 이 마을에서 절도는 드문 일입니다, 그런데 귀중한 마을 유물인 아름답게 조각된 조각상이 마을 광장에서 도난당했습니다. 코코는 범죄 현장을 조사하는 것으로 시작합니다.

코코는 현장에서 찢어진 천 조각, 독특한 발자국, 비밀스러운 메시지가 적힌 쪽지 등 일련의 단서를 발견합니다. 코코는 다양한 마을 사람들을 인터뷰하여 도난이 발생한 날 밤 광장 근처에 있었던 사람에 대한 정보를 수집합니다.

마을 주민 중 한 명이 그날 밤 광장 근처에서 수상한 인물을 보았다고 말했습니다. 코코는 마을 주민의 설명을 바탕으로 황혼 무렵 마을을 동과하는 길을 따라갑니다. 길은 마을 가장자리로 이어졌고, 코코는 이 곳에서 특이한 발자국과 조각상에 있던 작은 떨어뜨린 장신구를 발견합니다. 코코는 도둑을 잡기 위해 장신구를 미끼로 함정을 설치하기로 결정합니다. 코코는 한때 동상이 서 있던 마을 광장 근처에서 함정을 설치할 계획을 세웠습니다.

함정이 작동합니다! 장신구를 찾으려 애쓰는 모습의 다람쥐가 잡혔고, 코코는 다람쥐에게 다가가서 질문합니다.

다람쥐는 팔딱팔딱 뛰며 자신은 진짜 범인이 아니라고 하며, 더 크고 위협적인 동물에 의해 조각상을 훔치도록 강요 받았다고 밝혔습니다.

　새로운 정보를 입수한 코코는 도난 사건의 배후를 찾기 위해 나섭니다. 코코는 수사 도중에 위험이 도사리고 있는 숲 속으로 손전등과 탐정장비를 들고 용감하게 들어갑니다.

코코는 마침내 진짜 도둑, 교활한 여우의 숨겨진 은신처를 발견합니다. 여우는 여유로운 모습으로 조각상을 만지고 있습니다.

"조각상 내놓지 못해?"

코코와 여우 사이에 팽팽한 대결이 벌어집니다. 여우는 신속하고 유연하게 코코를 요리조리 피합니다. 여우가 방심한 사이, 코코는 재치와 용기를 발휘하여 여우를 붙잡고 도난당한 조각상을 찾습니다.

코코는 큰 호평을 받으며 동상을 마을로 돌려보냅니다. 마을 사람들은 코코의 용기와 영리함을 칭찬하고 코코의 이름을 외칩니다. 코코는 동물들의 환호와 축제분위기 속에서 의기양양하게 동상을 마을의 원래 위치로 돌려보냅니다.

코끼리 마을 시장님은 마을을 안전하고 조화롭게 유지하는 데 있어 코코의 중요한 역할을 인정하며 감사를 표했습니다. 코코는 자부심과 성취감을 느낍니다.

코코는 탐정 사무소에 앉아 생각합니다. 코코는 각 사건을 통해 미스터리를 해결할 뿐만 아니라 마을 사람들의 관계를 더욱 긴밀하게 만들 수 있다는 것을 깨닫습니다.

작가의 말

코코의 모험을 담은 페이지를 덮으며, 호기심과 용기, 따뜻한 마음을 지닌 꼬마 탐정 코코의 여정을 함께 즐겨보셨기를 바랍니다. 코코를 통해 인내의 중요성, 공동체의 가치, 머리뿐만 아니라 가슴으로 사건을 푸는 즐거움을 느끼셨나요?

코코의 첫 번째 사건부터 그 후의 도전적인 탈출에 이르기까지 각 에피소드는 용기와 친절이 모든 탐정에게 가장 큰 도구라는 것을 상기시키기 위해 제작되었습니다.

코코의 모험을 쓴 저자로서 여러분과 이 이야기를 공유할 수 있는 기회를 주셔서 깊이 감사드립니다. 코코의 이야기를 쓰는 것은 그 자체로 교훈과 웃음, 예상치 못한 길의 발견으로 가득 찬 여정이었습니다.

독자 여러분, 코코의 모험을 통해 용감한 마음과 호기심 가득한 마음으로 모든 도전에 맞서시길 바래요. 여러분도 코코처럼 변화를 일으킬 수 있는 능력이 있다는 것을 기억하세요!

멋진 모험에 동참해 주셔서 감사합니다. 코코의 이야기가 여러분의 머릿속에 오래도록 남아 미소를 짓게 하기를 기대합니다.